QUEM DISSE QUE É FÁCIL SER UMA RAPOSA? SOMOS AS MAIS ESPERTAS ENTRE OS ANIMAIS. NINGUÉM NOS FAZ DE TOLAS. OS OUTROS QUE SE CUIDEM! AH, E NOSSO PELO? MACIO COMO UM COBERTOR. NO FRIO, FICAMOS AQUECIDAS COMO VERDADEIRAS RAINHAS DA FLORESTA. UM LUXO SÓ!

NOSSA AUDIÇÃO E VISÃO SÃO APURADAS, PREPARADAS PARA NOS PROTEGER DE PREDADORES ESPERTALHÕES. E O FOCINHO PERFEITO? ELE É DELICADO COMO O DAS ESTRELAS DE CINEMA. NOSSO OLFATO É AGUÇADO E NOS PERMITE FAREJAR E CAÇAR LEBRES, COELHOS, PEIXES... ENFIM, TUDO O QUE AMAMOS COMER!

AI, AI... ESTA CONVERSA ESTÁ ME DANDO FOME. HÁ DIAS MINHA BARRIGA ESTÁ VAZIA E NÃO ENCONTRO NINGUÉM QUE ME OFEREÇA UM BANQUETE. ONDE ESTARÃO OS MEUS AMIGOS? BEM QUE A CEGONHA PODERIA VOAR POR AQUI E TRAZER O MEU PEIXE PREFERIDO NO BICO.

QUEM SABE A GALINHA? ELA PODERIA ME MOSTRAR COMO ANDA A SUA PRODUÇÃO DE OVOS. AH, EU IA ELOGIÁ-LA E, QUANDO ELA SE DISTRAÍSSE, "NHAC", PROVARIA UM DAQUELES DELICIOSOS OVOS! MAS A VIDA NÃO ANDA NADA FÁCIL PARA UMA RAPOSA. SOU MESMO UMA INFELIZ, POBRE COITADA, SOLITÁRIA NA VIDA E SEM AMIGOS VERDADEIROS.

É... SÓ ME RESTA VAGAR PELO CAMPO À PROCURA DE ALGUMA COISA PARA COMER. COMO EU FICARIA FELIZ SE APANHASSE UM PASSARINHO OU UM FILHOTE DE LEBRE! SÓ DE PENSAR NISSO, JÁ FICO COM ÁGUA NA BOCA.

MAS POR AQUI NÃO VEJO NADA ALÉM DE FLORES, CAPIM E ERVA DANINHA. SERÁ POSSÍVEL UMA COISA DESSAS?

ISSO SÓ PODE SER PRAGA DE ALGUÉM QUE NÃO GOSTA DE MIM, ALGUM INVEJOSO. OH, VIDA CRUEL! MINHAS PERNAS DOEM, MEU ESTÔMAGO RONCA E NINGUÉM ME AMA. ACHO QUE VOU DESCANSAR MEU POBRE ESQUELETO NESTE PEQUENO JARDIM, ONDE NENHUMA ALMA ME ENCONTRARÁ. ASSIM, TALVEZ, A FOME TAMBÉM SE ESQUEÇA DE MIM.

MAS, ORA, ORA, O QUE TEMOS AQUI? UMA PARREIRA GIGANTESCA À MINHA ESPERA, CARREGADA COM OS MAIORES E MAIS MADUROS CACHOS DE UVA QUE JÁ VI. É DE ABRIR O APETITE DE QUALQUER UM!

É CLARO QUE A SORTE JAMAIS ME ABANDONARIA. AFINAL, SOU OU NÃO SOU A RAPOSA, A MAIORAL DESTA FLORESTA?

DEPOIS DE TUDO QUE PASSEI, PERAMBULANDO, ESTE PRESENTE ERA O MÍNIMO QUE EU MERECIA. ALÉM DISSO, NÃO COMO UVAS DESDE PEQUENA! ELAS ME LEMBRAM DA ÉPOCA EM QUE EU VISITAVA A MINHA AVÓ. HUMMM... AINDA POSSO SENTIR O GOSTO DA GELEIA DE UVA QUE ELA PREPARAVA.

ENTÃO, AGORA, MINHAS UVINHAS DELICIOSAS, VENHAM TODAS PARA MIM!

VOCÊS ESTÃO BEM NO ALTO MESMO, HEIN, MENINAS? VOU PRECISAR DE UMA MÃOZINHA DE VOCÊS, MINHAS NOVAS AMIGAS DO ESTÔMAGO, QUERO DIZER, DO CORAÇÃO.

UIIIII... ESTOU ME ESTICANDO O MÁXIMO QUE CONSIGO. ESTOU QUASE... SÓ MAIS UM POUQUINHO E ALCANÇAREI A PRIMEIRA UVA...

AI... TÃO PERTO, E TÃO LONGE. TALVEZ ALGUNS EXERCÍCIOS DE ALONGAMENTO ME AJUDEM. PUXA, PUXA, PUXA. ESTICA, ESTICA, ESTICA. PUXA, PUXA, PUXA. ESTICA, ESTICA, ESTICA. MEU FOCINHO JÁ ESTÁ QUASE LÁ! SÓ MAIS UMA FORCINHA E JÁ VOU SABOREAR ESSAS DELÍCIAS. PUFT! AH, NÃO. AINDA NÃO FOI DESTA VEZ...

AH, NÃO, UVINHAS. SE PENSAM QUE VOU DESISTIR, AINDA NÃO ME CONHECEM. EU SOU MAIS PERSISTENTE DO QUE IMAGINAM. MINHA FOME É IMENSA, MAS MINHA INTELIGÊNCIA É MAIOR AINDA. TENHO UMA NOVA ESTRATÉGIA. SOU ÁGIL E LEVE O SUFICIENTE PARA SUBIR NOS GALHOS DA PARREIRA E ALCANÇAR TODOS OS CACHOS QUE QUISER.

PRIMEIRO, EU ME APOIO AQUI. AGORA É SÓ ME MOVER UM POUCO PARA A ESQUERDA E, DEPOIS, GIRAR À DIREITA. AH, COMO SOU LIGEIRA! MAMÃE SEMPRE DISSE QUE EU ERA BOA NISSO! ESTOU QUASE LÁ! SÓ PRECISO FAZER MAIS FORÇA COM AS PATAS TRASEIRAS, DAR IMPULSO NA SUBIDA E... KAPUFT! AH, NÃO! DE NOVO, NÃO!

UVAS, AGORA VOCÊS NÃO ESCAPARÃO DE MIM! TENHO UM PLANO INFALÍVEL PARA DEVORÁ-LAS, UMA A UMA. NINGUÉM JAMAIS ARQUITETOU ALGO TÃO PERFEITO ASSIM. ESTÃO VENDO ESTAS PEDRAS QUE AMONTOEI AQUI, AO PÉ DA PARREIRA? COM ELAS, CONSTRUIREI UMA ESCADA PARA ALCANÇAR O CACHO MAIS ALTO DE TODOS.

AH, NÃO VOU PERDER MAIS TEMPO FALANDO COM VOCÊS. TENHO CENTENAS DE PEDRAS PARA EMPILHAR. E ISSO SEM FALAR NO PESO DISSO TUDO!
UMA, DUAS... VINTE... OITENTA... DUZENTAS... TREZENTAS E OITENTA, E ... OPS! PERDI A CONTA. VOU TER QUE RECOMEÇAR A CONTAGEM!
UMA, DUAS, TRÊS, QUATRO, CINCO, SEIS....
TÓIM! TUM! PLÉIM! AI, UI, AI...